GIBRAN

Le Prophète

Traduit de l'anglais par
Guillaume Villeneuve

Avec une postface de
Sélim Nassib

ÉDITIONS MILLE ET UNE NUITS

GIBRAN
n° 13

Texte intégral
Titre original : *The Prophet*

© Mille et une nuits, département de la Librairie Arthème Fayard,
janvier 1994-septembre 2000 pour la présente édition.
ISBN : 2-910233-13-8

Sommaire

GIBRAN

Le Prophètc

Le Prophète

Almustafa, l'élu et le bien-aimé, aube pour son propre jour, avait attendu douze ans dans la ville d'Orphalese qu'accoste le bateau du retour au pays natal.

Quand vint la douzième année, au septième jour d'Ielool, le mois des moissons, il gravit la colline en dehors des remparts et contempla la mer : son bateau arrivait, escorté par la brume.

Alors les portes de son cœur s'ouvrirent à toute volée, sa joie s'élança loin sur les eaux. Fermant les yeux, il pria dans les silences de son âme.

Comme il redescendait, la tristesse s'abattit sur lui ; il se dit :

Comment partirai-je dans la paix, sans chagrin ? C'est l'esprit blessé que je quitterai cette ville.

Longs furent les jours de souffrance passés derrière les remparts, longues les nuits de solitude ; et qui peut quitter sa douleur et sa solitude sans regret ?

Trop nombreuses les bribes d'esprit que j'éparpillai dans ces rues, trop nombreux les enfants de ma langueur à fouler nus ces collines : je ne saurais m'en abstraire sans une pesante douleur.

Ce n'est pas un habit que je rejette aujourd'hui, mais ma peau que je déchire de mes propres mains.

Ce n'est pas davantage une pensée que je laisse derrière moi, mais un cœur adouci par la faim et la soif.

Mais il ne faut pas tarder plus longtemps.

La mer, qui appelle toutes choses à elle, m'appelle à embarquer.

Car rester, même si les heures brûlent dans la nuit, c'est geler, se pétrifier, se figer dans un moule.

J'emporterais volontiers tout ce qui se trouve ici. Mais comment ?

Le son ne peut emporter la langue ni les lèvres qui lui donnèrent naissance. Il part seul vers l'éther.

Seul sans son nid l'aigle traverse le soleil.

Or quand il fut au pied de la colline, il se tourna de nouveau vers la mer, vit le bateau approcher du port et sur sa proue les matelots, ceux de sa terre.

Son âme cria vers eux ; il dit :

Fils de mon antique mère, vous chevaucheurs des flots,

Vous avez si souvent vogué sur mes rêves ! Et maintenant vous survenez à mon réveil, qui est mon rêve plus profond.

Je suis prêt à partir et mon ardeur, toutes voiles dehors, attend le vent.

Je ne respirerai plus qu'une seule bouffée de cet air stagnant, ne jetterai qu'un seul autre regard d'amour,

Puis me tiendrai parmi vous, un nautonier parmi ses pairs.

Et toi, vaste mer, mère assoupie,

Qui seule es libre paix pour le fleuve et la rivière,

Ce bras de mer n'a plus qu'un méandre à faire, un seul murmure dans ce hallier,

Avant que je ne t'arrive, goutte d'infini dans l'océan d'infinité.

Et tandis qu'il marchait, il vit de loin les hommes et les femmes quitter leurs champs, leurs vignes, pour se hâter aux portes de la ville.

Il entendit les voix prononcer son nom, se héler de pré en pré pour annoncer l'arrivée du bateau.

Il songea :

Le jour qui nous éloigne sera-t-il aussi celui des retrouvailles ?

Dira-t-on que cette veille fut en réalité mon aube ?

Et que donnerai-je à celui qui laissa sa charrue au milieu du sillon, à qui arrêta la meule du pressoir ?

Mon cœur va-t-il devenir un arbre chargé de fruits que je puisse cueillir pour les leur donner ?

Mes désirs couleront-ils en fontaine où je remplisse leurs coupes ?

Suis-je harpe que la main du puissant puisse me toucher, flûte pour que son souffle me traverse ?

Un chercheur de silences, voici ce que je suis, mais quel trésor ai-je trouvé dans ces silences, à livrer avec assurance ?

Si c'est le jour de ma moisson, dans quels champs ai-je semé la graine, en quelles saisons oubliées ?

Si vraiment c'est l'heure où lever ma lampe, ce n'est pas ma flamme qui y brûle.

Vide et obscure la lampe que je dresse,

Et c'est le gardien de la nuit qui l'emplira d'huile et l'allumera aussi.

Telles furent les choses qu'il s'exprima. Mais la plupart restaient muettes en son cœur. Car il ne pouvait avouer lui-même son plus profond secret.

À son entrée dans la ville, tous vinrent à lui qui criaient d'une seule voix.

Et le conseil des anciens s'avança et dit :

Ne nous quitte pas déjà.

Tu as été le plein midi pour notre crépuscule, ta jeunesse nous a donné des rêves à rêver.

Tu n'es pas un étranger chez nous, ni un hôte, mais notre fils très aimé.

Ne permets pas encore que nos yeux aient faim de toi.

Et les prêtres comme les prêtresses lui dirent :

Que les vagues de la mer ne nous éloignent pas maintenant, que les années vécues parmi nous ne deviennent pas un souvenir.

Tu as passé tel l'esprit, ton ombre fut lumière sur nos visages.

Nous t'avons beaucoup aimé. Mais cet amour restait muet, voilé de voiles.

Pourtant, à cette heure, il s'écrie à voix forte, voudrait se dresser devant toi.

Car l'on sait bien que l'amour ignore toujours sa propre profondeur jusqu'au jour des adieux.

D'autres aussi s'approchèrent, pour le supplier. Mais il ne répondait pas. Il se contentait de pencher la tête ; ceux qui se tenaient tout près virent les larmes tomber sur sa poitrine.

Il se dirigea, suivi du peuple, vers la grande place devant le temple.

Sortit alors du sanctuaire une femme appelée Almitra. C'était une devineresse.

Il la dévisagea avec une extrême tendresse car c'est elle qui était venue le chercher et avait cru en lui dès son arrivée dans la ville.

Elle le salua en ces termes :

Prophète de Dieu, en quête d'absolu, tu as longtemps scruté les lointains à la recherche de ton bateau.

Le voici arrivé et tu dois partir, de toute nécessité.

Tu aspires d'une grande ardeur à la terre de tes souvenirs, à la demeure de tes vrais désirs ; notre amour ne veut pas te lier ni nos besoins te retenir.

Nous ne te demanderons qu'une chose avant que tu nous quittes, que tu nous parles et nous livres de ta vérité.

Et nous la donnerons à nos enfants, qui la diront aux leurs, et elle ne périra pas.

Dans ta solitude, tu as veillé avec nos jours, pendant tes veilles, tu as prêté l'oreille aux pleurs et aux rires de notre sommeil.

Ouvre-nous donc à nous-mêmes, apprends-nous ce qui te fut montré d'entre naissance et mort.

Il répondit :

Peuple d'Orphalese, de quoi puis-je parler sinon de ce qui remue en cet instant au sein de vos âmes ?

Almitra reprit : parle-nous de l'Amour.

Il releva la tête, considéra la foule, soudain tranquille. Il parlait d'une voix puissante :

Quand l'amour te fait signe, suis-le,

Même si ses voies sont escarpées et pénibles.

Quand ses ailes te couvriront, cède-lui,

Même si te blesse l'épée cachée dans ses ailerons.
Lorsqu'il te parlera, crois-le,
Même si sa voix dévaste tes rêves, tel le vent du Nord
au jardin.

Car l'amour couronne, mais il te crucifiera aussi. Il
servira à ta croissance comme à ton ébranchage.
S'il jaillit jusqu'à ta cime, caresse tes branches très
tendres qui frémissent au soleil,
Il descendra jusqu'aux racines pour secouer leur
étreinte dans la terre.
Telles des gerbes de blé il te recueille en lui.
Il te bat pour te mettre à nu.
Il te passe au crible pour t'affranchir des mortes peaux.
Il te moud jusqu'à la blancheur.
Il te pétrit pour une parfaite fluidité ;
Enfin, il te confie à son feu sacré, que tu deviennes le
pain sacré du festin sacré de Dieu.

Tout cela, l'amour vous le fera afin que vous sachiez
les secrets de votre cœur et deveniez, par cette connaissance, un fragment du cœur de la Vie.

Mais pénétré de crainte, tu voudrais ne chercher que
la paix et le plaisir de l'amour,
Alors il vaut mieux couvrir ta nudité, passer au large
de son aire,

Dans ce monde sans saisons où tu riras, mais pas de tout ton rire, pleureras, mais pas toutes tes larmes.

L'amour ne donne rien que lui, ne prend rien que lui.

L'amour ne possède pas et ne veut pas l'être ;

Car il se suffit à lui-même.

Quand tu aimes, tu ne saurais dire : « Dieu repose dans mon cœur », mais plutôt : « Je repose dans le cœur de Dieu. »

Et ne crois pas pouvoir diriger le cours de l'amour car c'est lui, s'il t'en trouve digne, qui te dirigera.

L'amour n'a pas d'autre désir que de s'accomplir.

Mais si tu aimes et s'il te faut nourrir des désirs, aie donc ceux-ci :

Fondre et courir comme le torrent qui chante pour la nuit.

Connaître la douleur d'une trop riche tendresse.

Être blessé par ta propre compréhension de l'amour ;

Saigner volontiers et dans la joie.

T'éveiller à l'aube, le cœur ailé, rendre grâces pour ce nouveau jour d'amour ;

Reposer à midi et méditer sur l'extase de l'amour ;

Regagner ton gîte le soir avec gratitude ;

Puis t'endormir avec au cœur une prière pour le bien-aimé, la louange sur les lèvres.

Alors Almitra reprit la parole : Et le Mariage, maître ?
Il répondit :

Vous êtes nés ensemble et le resterez pour l'éternité.

Vous serez ensemble quand les ailes blanches de la mort disperseront vos jours.

Oui, vous serez ensemble même dans le souvenir silencieux de Dieu.

Mais qu'il y ait de l'espace dans votre union.

Que dansent les vents célestes entre vous.

Aimez-vous, mais sans faire de l'amour une chaîne :

Qu'il soit plutôt une mer mobile entre les rives de vos âmes.

Remplissez la coupe de l'autre, mais sans boire à une seule.

Échangez vos pains, mais ne mangez pas du même.

Chantez, dansez ensemble, soyez joyeux, mais donnez-vous la solitude,

Comme les cordes du luth la connaissent, bien qu'elles frémissent sur la même musique.

Confiez vos cœurs, mais pas l'un à l'autre.

Car la main de la Vie peut seule les renfermer.

Dressez-vous ensemble, mais pas trop près,

Car les piliers du temple sont séparés
Et le chêne comme le cyprès ne croissent pas à
l'ombre l'un de l'autre.

Puis une femme qui tenait un nourrisson dans les
bras lui dit, Parlez-nous des Enfants.

Et il déclara :

Vos enfants ne sont pas vos enfants.

Ce sont les fils et les filles de la Vie qui se désire.

Ils vous traversent mais ne sont pas de vous,

Et s'ils vous entourent, ils ne sont pas à vous.

Vous pouvez leur donner de l'amour, mais pas de
pensées.

Car ils ont leurs propres pensées.

Vous pouvez abriter leurs corps, mais pas leurs âmes

Car celles-ci vivent dans la demeure du lendemain,
que tu ne peux visiter, pas même dans tes rêves.

Tu t'efforceras peut-être de leur ressembler, mais ne
les oblige pas à te copier.

Car la vie ne part pas en arrière pas plus qu'elle ne
s'attarde sur hier.

Vous êtes les arcs d'où jaillissent, flèches vives, vos
enfants.

L'Archer voit la marque sur le chemin d'infinité : Il
vous arque de toute Sa force pour que Ses flèches par-
tent vite et loin.

Que votre arc soit joie sous Sa main ;
Car s'Il aime la flèche qui vole, Il aime aussi l'arc
solide.

Alors un riche intervint, Parlez-nous du Don.

Et il dit :

C'est peu donner que donner de ce qu'on a.

Le véritable don, c'est donner de soi.

Car que sont tes possessions, sinon des choses que tu gardes et protèges de peur d'en avoir besoin demain ?

Et ce demain, qu'apportera-t-il donc au chien trop prévoyant qui enfouit des os dans un sable vierge d'empreintes tandis qu'il suit les pèlerins vers la ville sainte ?

Et qu'est-ce que la crainte du besoin, sinon le besoin lui-même ?

La crainte de la soif devant ton insondable puits n'est-elle pas une soif inextinguible ?

Il y a ceux qui donnent peu de tout ce qu'ils ont et cela pour être reconnus : ce désir caché aigrit leur don.

Et il y a ceux qui ont peu et le donnent tout entier.

Ils croient en la vie et en son abondance, leur coffre n'est jamais vide.

Il y a ceux qui donnent avec joie, cette joie est leur récompense.

D'autres donnent en souffrant, et cette douleur est leur baptême.

Il y a ceux, enfin, qui donnent sans connaître la souffrance, qui ne cherchent pas la joie, ni ne songent à la vertu ;

Ils donnent comme le myrte exhale sa fragrance dans l'espace, au loin dans la vallée.

C'est par leurs mains que Dieu parle, derrière leurs yeux qu'Il sourit à la terre.

Il est bien de donner quand on vous demande, encore mieux de précéder la requête, à force de compréhension ;

Au généreux, chercher l'être qui veuille bien recevoir est joie plus grande que celle du don.

Et y a-t-il une seule chose que tu voudrais retenir ?

Tout ce que tu as sera tôt ou tard donné ;

Donne donc à cette heure, que la saison du don t'appartienne plutôt qu'à tes héritiers.

Tu dis souvent : « J'aimerais donner, mais seulement à qui le mérite. »

Ce n'est pas le langage que tiennent les arbres de ton verger, ni les troupeaux de tes prés.

Ils donnent pour vivre, car retenir c'est périr.

Car qui mérite de recevoir ses jours et ses nuits mérite de recevoir tout ce qui t'appartient.

Et y a-t-il plus grand mérite que celui qui réside dans le courage et la confiance, disons même la charité, du recevoir ?

Et qui es-tu que les hommes doivent ouvrir leurs cœur, ravaler leur fierté pour te permettre de voir leur valeur à nu, une fierté qui ne s'effaroucherait pas?

Veille d'abord à mériter de donner, à être l'instrument du don.

Car en vérité, c'est la vie qui donne à la vie tandis que toi qui crois donner n'es que témoin.

Et vous autres qui recevez – et vous recevez tous – ne faites pas de la gratitude un fardeau, de peur de charger un joug et sur vous et sur le donneur.

Dressez-vous plutôt avec lui sur ses dons comme sur des ailes ;

Car trop vous rappeler votre dette, c'est douter de la générosité de l'être dont la mère est terre qui ne marchande pas sa chaleur, et dont le Père s'appelle Dieu.

Alors un vieil homme, un tenancier d'auberge, s'enquit :

Parle-nous du Manger et du Boire.

Et il dit :

J'aimerais que vous puissiez vivre du parfum de la terre et, telle une plante aérienne, vous nourrir de la lumière.

Mais puisqu'il vous faut tuer pour manger, voler au nouveau-né le lait de sa mère pour étancher votre soif, que cela soit un acte de dévotion,

Que votre planche soit l'autel où seront sacrifiés le pur et l'innocent de la forêt ou de la plaine au nom de ce qui est plus pur et encore plus innocent en l'homme.

Quand vous tuez une bête, dites-lui au fond de votre cœur :

« Par ce pouvoir qui t'achève, je le suis moi aussi ; et moi aussi je serai consumé.

Car la loi qui t'a remis entre mes mains me remettra entre des mains plus puissantes.

Ton sang et le mien ne sont nulle autre chose que la sève qui nourrit l'arbre du ciel. »

Et quand une pomme craque sous vos dents, dites-lui en votre for intérieur :

« Tes graines vivront dans mon corps,

Et les bourgeons de ton lendemain me fleuriront au cœur,

Ta fragrance sera mon souffle,

Ensemble, nous nous réjouirons à travers toutes les saisons. »

À l'automne, quand vous vendangez les grappes de vos vignes pour le pressoir, murmurez :

« Moi aussi je suis un vignoble, et mes fruits seront cueillis pour le pressoir,

Et tel le vin nouveau, je serai conservé dans d'éternels vaisseaux. »

L'hiver venu, quand on tire le vin, que votre cœur entonne un chant pour chaque coupe ;

Qu'elle abrite le souvenir des jours d'automne, et celui du vignoble, et celui du pressoir.

Alors un laboureur lui dit : Parlez-nous du Travail.

Il répondit en ces termes :

Tu travailles pour rester à la hauteur de la terre et de son âme.

Car rester oisif, c'est devenir étranger aux saisons, s'écarter de la procession d'une vie qui marche en majesté, en fière obéissance, vers l'infini.

Quand tu travailles, tu es la flûte où le chuchotement des heures se transforme en musique.

Qui voudrait être un roseau, morne et muet, quand tout le reste chante à l'unisson ?

Toujours, on vous a dit que le travail est une malédiction et le labeur une infortune.

Or je vous dis qu'en travaillant vous accomplissez, du rêve le plus sublime, une parcelle qui vous fut assignée quand il naquit,

Et vous tenir occupé, c'est en fait aimer la vie,

L'aimer par le travail, c'est encore partager son secret profond.

Mais si dans ta douleur tu appelles la naissance une affliction et la nécessité d'entretenir ta chair une malédiction inscrite sur ton front, alors je te réponds que seule la sueur de ce front pourra laver ce qui y est écrit.

On t'a dit que la vie est noirceur et dans ta lassitude, tu répètes ce qu'ont dit les las.

Et je prétends que la vie est en effet noirceur sauf quand il existe une ardeur ;

Et toute ardeur est aveugle sauf quand elle s'accompagne de connaissance.

Et toute connaissance vaine sauf quand elle engendre le travail,

Et tout travail vide sauf s'il contient l'amour ;

Car travailler avec amour, c'est se lier à soi-même, se relier l'un l'autre, et à Dieu.

Et qu'est-ce que le travail d'amour ?

C'est tisser la toile avec des fils tirés de ton cœur, comme si ton bien-aimé devait porter cette toile.

C'est construire une demeure avec affection, comme si ton bien-aimé devait y vivre.

C'est semer les graines avec tendresse et cueillir la récolte avec joie, comme si ton bien-aimé allait en manger le fruit.

C'est insuffler à tout ce que tu modèles le souffle de ton propre esprit.

Et savoir que tous les morts bénis t'encerclent et te regardent.

Souvent, je t'ai entendu dire, comme si tu parlais dans ton sommeil : « Celui qui travaille le marbre et trouve la forme de son âme dans la pierre, est plus noble que celui qui laboure le sol.

Et qui s'empare de l'arc-en-ciel pour l'étendre sur une toile à l'image de l'homme, celui-là compte davantage que celui qui fabrique des sandales pour nos pieds. »

Or moi je dis, et pas en dormant mais dans l'éveil parfait de midi, que le vent ne parle pas plus doucement aux chênes géants qu'au moindre des brins d'herbe.

Et seul est grand celui qui de la voix du vent fait un doux chant d'amour.

Le travail est de l'amour rendu visible.

Si vous ne pouvez travailler avec lui, mais rien qu'avec dégoût, il vaut mieux quitter cette tâche et vous asseoir à la porte du temple pour recevoir aumônes de ceux qui œuvrent dans la joie.

Car pétrir le pain avec indifférence, c'est cuire un pain d'amertume qui ne nourrit qu'à moitié la faim humaine ;

Et si fouler les grappes vous déplaît, ce déplaisir distille un poison dans le vin.

Et quand vous chanteriez comme des anges, si vous n'aimez pas le chant, vous fermez l'oreille humaine aux voix du jour et à celles de la nuit.

Alors une femme l'interrogea : parle-nous de la Joie et de la Peine.

Il répondit :

Votre joie est une peine démasquée.

Et le puits où monte votre rire a si souvent été rempli par vos larmes.

Et comment pourrait-il en aller autrement ?

Plus profond le travail de la peine dans votre être, plus de joie vous contiendrez.

Car la coupe qui renferme votre vin n'est-elle pas celle-là même qui brûla dans le four du potier ?

Et le luth qui apaise votre esprit, n'est-ce pas le bois même naguère évidé par le couteau ?

Quand vous êtes joyeux, regardez au fond de votre cœur et vous verrez que votre joie résulte uniquement de ce qui a causé votre chagrin.

Quand vous êtes malheureux, regardez encore une fois votre cœur et vous comprendrez en réalité que vous pleurez pour d'anciennes délices.

Certains d'entre vous disent : « La joie dépasse la peine » ; d'autres disent : « Non, c'est la peine qui domine. »

Et moi je vous dis, elles sont indissociables.

Elles arrivent ensemble et quand l'une s'assied à table en votre compagnie, rappelez-vous que l'autre est assoupie sur votre lit.

Car en vérité vous êtes suspendus comme un fléau de balance entre votre peine et votre joie.

C'est par le vide seulement que vous connaissez le repos et l'équilibre.

Quand le gardien du trésor vous prend pour soupeser son or et son argent, inévitablement, votre joie ou votre chagrin s'élève ou retombe.

Alors un maçon s'avança et lança : Parlez-nous des Maisons.

Construis-toi d'abord par l'imaginaire une masure dans la solitude avant de te bâtir une maison entre les murs de la ville.

Car si tu aspires à rentrer chez toi au crépuscule, le vagabond qui t'habite, à jamais écarté et solitaire, connaît le même désir.

Ta maison est ton grand corps.

Celui-ci grandit au soleil et dort dans la nuit tranquille ; il n'ignore pas les rêves. Ta maison ne rêve-t-elle pas, elle aussi ? et rêvant, ne quitte-t-elle pas la ville pour le hallier ou la cime de la colline ?

Puissé-je cueillir vos demeures dans ma paume et, tel le semeur, les éparpiller dans le bois et le pré.

J'aimerais que les vallées fussent vos rues, les verts sentiers vos allées, que vous vous cherchiez au sein des vignes et rentriez les vêtements parfumés par la terre.

Mais tout cela ne saurait se réaliser pour l'instant.

Dans leur crainte, vos pères vous ont trop rapprochés. Cette crainte a encore de beaux jours devant elle.

Les murs de vos villes sépareront un peu plus long-temps vos foyers de vos prés.

Mais dites-moi, peuple d'Orphalese, qu'abritez-vous dans ces maisons ? Qu'est-ce donc que vous gardez derrière ces portes verrouillées ?

Possédez-vous la paix, la quiète ardeur qui traduit la puissance ?

Avez-vous des souvenirs, ces arches scintillantes qui enjambent les sommets de l'esprit,

Recelez-vous la beauté, qui mène le cœur des choses faites de bois et de pierre vers la montagne magique ?

Dites-moi, les gardez-vous chez vous ?

Ou ne connaissez-vous que le confort, et le désir du confort, cet être furtif qui pénètre en invité dans une maison, en devient l'hôte puis le maître ?

Car il se métamorphose en dompteur, et à coups de crochet et de fouet, transforme en jouets vos plus nobles aspirations.

S'il a des mains de soie, son cœur est de bronze.

Il vous endort pour se dresser ensuite à votre chevet et moquer la dignité de la chair.

Il ridiculise la santé de vos sens, les sertit d'ouate comme des vases précieux.

En vérité, le désir de confort assassine l'âme passion-née avant de l'escorter, tout sourire, à son enterrement.

Mais vous, fils de l'espace, vous qui ne pouvez rester en place, vous refuserez d'être pris au piège ou domptés.

Votre demeure ne sera pas une ancre, mais un mât.

Elle ne sera pas cette gaze scintillante qui panse une blessure, mais la paupière qui protège l'œil.

Vous ne replierez pas les ailes pour franchir les portes, ne baisserez pas la tête pour éviter de heurter le plafond, ne craindrez pas de respirer de peur de lézarder les murs et qu'ils ne s'écroulent.

Vous ne vivrez pas dans des tombes bâties par les morts pour les vivants.

Et, bien que faite de magnificence et de splendeur, votre demeure ne renfermera pas votre secret, n'abritera pas votre désir.

Car l'infinité en vous vit dans le palais du ciel, dont la porte est la brume matinale, les fenêtres les chants et les silences de la nuit.

Et le tisserand parla à son tour : Qu'en est-il des Vêtements ?

Il répondit :

Tes habits dissimulent beaucoup de ta beauté, mais ne cachent pourtant pas la laideur.

Bien que tu cherches à travers eux la liberté de la discrétion, tu risques d'y trouver un harnais et une chaîne.

J'aimerais que tu puisses saluer le soleil et le vent avec plus de peau et moins de vêture.

Car le souffle de la vie bouge dans le rayon du soleil, et sa main dans le vent.

Certains disent : « C'est le vent du Nord qui a tissé les habits que nous portons. »

Et moi je réponds, certes c'est le vent du Nord,

Mais la honte lui servit de métier, la faiblesse de vos muscles de fil.

Son travail accompli, il partit rire dans la forêt.

N'oublie pas que la modestie sert de bouclier contre l'œil de l'impur.

Quand ce dernier ne sera plus, que sera la modestie, sinon entrave et humiliation pour l'esprit ?

Et n'oublie pas que la terre s'enchante de sentir tes pieds nus, que le vent aspire à jouer dans tes cheveux.

Alors un marchand intervint : Parle-nous de l'Acheter et du Vendre.

Il répondit en ces termes :

Pour vous la terre donne son fruit, et vous ne manquerez de rien si vous savez comment vous remplir les mains.

C'est par l'échange des dons de la terre que vous trouverez l'abondance et la satisfaction.

Pourtant, à moins que cet échange ne soit fondé en amour et en bonne justice, il ne manquera pas d'encourager la rapacité de quelques-uns et la faim des autres.

Quand, sur le marché, vous rencontrez, vous autres travailleurs de la mer, des champs et des vignobles, les tisserands, les potiers et les marchands d'épices,

Invoquez alors le génie de l'univers pour qu'il descende en votre sein, sanctifie les fléaux et l'estimation qui compare les valeurs.

Ne souffrez pas que ceux qui ont les mains vides se mêlent à vos transactions, car ils voudront vendre leurs mots contre votre travail.

À ceux-ci, vous devez déclarer :

« Venez avec nous aux champs, ou escortez nos frères en mer pour y jeter le filet ;

Car la terre et la mer vous donneront l'abondance comme à nous. »

Et si surviennent les chanteurs, les danseurs et les joueurs de flûte, achetez également de ce qu'ils offrent.

Car ce sont cueilleurs de fruit et d'encens et ce qu'ils vous apportent, quoique façonné de rêves, est vêture et nourriture pour votre âme.

Et, avant de quitter la place du marché, veillez à ce que personne ne s'en retourne les mains vides.

Car le génie de la terre ne reposera pas tranquille sur le vent tant que les besoins du plus petit d'entre vous ne seront pas satisfaits.

Alors l'un des juges de la ville s'avança et déclara : Parle-nous du Crime et du Châtiment.

Il répondit :

C'est quand ton esprit part en vagabond sur le vent,

Que, seul et sans réfléchir, tu causes du tort à autrui et donc à toi-même.

Et pour avoir commis ce tort, tu devras frapper à la porte des bienheureux plus longtemps sans qu'on t'entende.

Ton moi divin est comme l'océan ;

Il reste à jamais impollué.

Et tel l'éther il ne soulève que les êtres ailés.

Et tout semblable au soleil est ton moi divin ;

Il ne connaît pas les usages de la taupe, ne cherche pas les terriers du serpent.

Mais ton moi divin n'est pas le seul habitant de ton être.

Une grande part de toi n'est encore qu'humaine, une grande part ne l'est pas encore,

Mais pygmée difforme qui dort debout dans la brume à la poursuite de son éveil.

Or, c'est de l'homme en toi que je voudrais parler.

Car c'est lui, non pas le moi divin ni le pygmée dans sa brume, qui connaît le crime et son châtiment.

Bien des fois, je vous ai entendu dénoncer l'auteur d'une mauvaise action comme s'il n'était pas l'un d'entre vous, mais un inconnu et intrus en votre sein.

Et moi je dis que, de même que le juste et le saint ne peuvent grandir plus haut que ce qu'il y a de plus haut en chacun,

De même le pervers et le faible ne sauraient sombrer plus bas que le plus bas qui vous habite également.

Et comme il n'est pas une feuille qui jaunisse sans la connaissance tacite de l'arbre tout entier,

De même le malfaiteur ne peut agir sans que vous le vouliez tous, sans vous l'avouer.

Vous marchez en cortège, ensemble vers votre moi divin.

Vous êtes le chemin et ceux qui cheminez.

Quand tombe l'un d'entre vous, il tombe pour ceux qui le suivent, met en garde contre la pierre d'achoppement.

De même il tombe pour ses prédécesseurs qui, bien que plus rapides, plus affermis, n'ont pas ôté la pierre.

Ceci encore, quoique vous ayez peine à l'entendre :

L'assassiné n'est pas irresponsable de son propre meurtre,

Le volé pas sans reproche d'avoir été volé.

Le juste n'est pas innocent des actes du méchant.

Qui a les mains blanches n'est pas lavé des agissements du parjure.

Car le coupable est souvent la victime du blessé.

Bien plus souvent, le condamné porte le fardeau du non-coupable et du pur.

On ne peut séparer le juste de l'injuste, le bon du méchant ;

Car ils se tiennent ensemble devant le visage du soleil, tels le fil noir et le fil blanc entrelacés.

Quand se brise le fil noir, le tisserand doit regarder toute la toile, examiner aussi le métier.

Si l'un d'entre vous veut amener en jugement l'infidèle,

Qu'il soupèse également le cœur de son mari, mesure son âme scrupuleusement.

Que celui qui voudrait fouetter l'offenseur sonde l'esprit de l'offensé.

S'il en est parmi vous qui veuille punir au nom de la justice et porter la hache sur l'arbre du mal, qu'il dénude jusqu'à ses racines ;

Et en vérité, il trouvera les racines du bien et du mal, du fructueux et de l'infructueux, imbriquées les unes aux autres au cœur muet de la terre.

Et vous juges qui voudriez être justes :

Quel jugement prononcer sur tel qui, bien qu'honnête dans sa chair, est voleur en esprit ?

Quel châtiment sur le tueur de chair, lui-même tué en esprit ?

Comment poursuivrez-vous le méfait du trompeur et de l'oppresseur,
Puisqu'il est lui aussi attaqué et outragé ?

Et comment punirez-vous ceux dont le remords est déjà plus grand que leurs mauvaises actions ?
Le remords n'est-il pas la justice administrée par cette loi même que vous prétendez servir si ardemment ?
Pourtant, vous ne pouvez l'infliger à l'innocent ni l'ôter du cœur du coupable.
Il appellera dans la nuit malgré vous, pour que les hommes s'éveillent et s'examinent ;
Et vous qui voudriez comprendre la justice, comment y arriverez-vous à moins d'examiner tous les actes en pleine lumière ?
Alors seulement, vous saurez que l'homme juste et celui qui est tombé sont un seul et même homme, debout au chien et loup entre sa nuit de pygmée et le jour de sa divinité,
Et que la pierre d'angle du temple n'est pas plus haute que la plus humble de ses assises.

Un avocat dit ensuite : Quoi de nos Lois, maître ?
Il répondit :
Vous vous enchantez à édicter des lois,
Et vous plaisez cependant davantage à les briser.
Comme des enfants jouant au bord de l'océan qui construisent des châteaux de sable avec soin puis les détruisent sur un rire.
Mais tandis que vous construisez vos châteaux de sable, l'océan dépose toujours plus de sable sur la rive. Et quand vous les supprimez, l'océan rit avec vous.
Car il prend toujours le parti du rire de l'innocent.

Mais qu'en est-il de ceux pour qui la vie n'est pas un océan, les lois humaines pas des châteaux de sable,
Pour qui la vie est un rocher, la loi un ciseau dont ils voudraient user pour le sculpter à leur image ?
Qu'en est-il de l'infirme qui hait les danseurs ?
Du bœuf qui aime son joug et tient l'élan et le daim de la forêt pour vagabonds égarés ?
Et du vieux serpent qui, ne pouvant faire sa mue, tient tous les autres pour dénudés et impudiques ?
Et celui-ci qui arrive tôt au banquet de noces, puis, las et repu, s'en retourne en disant que tous les

festins sont sacrilèges, tous les fêtards des briseurs de lois ?

Qu'en dirai-je, sinon qu'ils se tiennent certes à la lumière du soleil, mais lui tournent le dos ?

Ils ne voient que leurs ombres, et ces ombres sont leurs lois.

Le soleil est pour eux ce qui leur fait de l'ombre.

Et à quoi bon reconnaître les lois si l'on se baisse pour en repérer les ombres sur le sol ?

Mais vous qui marchez face au soleil, quelles images tracées par terre pourraient vous retenir ?

Vous qui voyagez avec le vent, quelle girouette guiderait votre course ?

Quelle loi humaine vous lierait si vous brisez votre joug ailleurs que sur une porte de prison humaine ?

Quelles lois craindrez-vous si dansant vous ne trébuchez sur aucune chaîne de fer façonnée de main d'homme ?

Et qui te fera venir en jugement si tu arraches ton vêtement, sans obstruer aucun sentier ?

Peuple d'Orphalese, libre à vous d'étouffer le tambour, de détendre les cordes de la lyre, mais ordonnerez-vous à l'alouette de se taire ?

Alors un orateur intervint : Parlez-nous de la Liberté.
Il répondit :

À la porte de la ville, au coin de l'âtre, je t'ai vu te
prosterner et vénérer ta propre liberté,

Comme des esclaves se prosternent devant un tyran
et le louent alors même qu'il les tue.

En vérité, au hallier du temple comme à l'ombre de
la citadelle, j'ai vu les plus libres d'entre vous porter
leur liberté comme un joug et des menottes.

Et mon cœur saignait au-dedans de moi ; car on ne
peut être libre que lorsque le désir de liberté devient
un harnais, lorsqu'on cesse d'en parler comme d'un
but et d'un accomplissement.

Tu deviendras libre non quand tes jours seront dé-
nués de souci, tes nuits de besoin et de douleur,

Mais bien lorsque ces choses borderont les franges de
ta vie sans empêcher que tu les surmontes, nu et libre.

Et comment t'élever outre ces nuits et ces jours à
moins de briser les chaînes qu'à l'aube de ta compréhension tu as toi-même serties autour de ton midi ?

En vérité, celle que tu appelles liberté est la plus
solide de ces chaînes, bien que les maillons en scin-
tillent au soleil et t'éblouissent.

Et qu'est-ce autre chose que des bribes de ton propre moi que tu voudrais écarter pour te libérer?

S'il s'agit d'une loi injuste que tu voudrais abolir, cette loi fut rédigée de ta main sur ton propre front.

Impossible de la gommer en brûlant tes codes législatifs, ni en lavant le cerveau de tes juges, quand même tu ferais couler la mer dessus.

Et si c'est un despote que tu voudrais détrôner, veille d'abord à ce que son trône érigé en toi soit détruit.

Car comment le tyran régirait-il le libre et le fier si leur liberté ne contenait une tyrannie, leur fierté de la honte ?

Et si c'est là un souci auquel tu voudrais renoncer, tu l'as choisi plus qu'il ne t'a été imposé.

Si c'est une crainte que tu voudrais dissiper, son siège se situe dans ton cœur, pas dans la main de qui est craint.

En vérité, toutes choses se meuvent en ton être en une constante demi-étreinte, le désiré et le redouté, le haï et l'adoré, l'espéré et ce que tu voudrais fuir.

Ces choses se meuvent en toi comme la lumière et l'ombre, en paires inséparables.

Et quand l'ombre pâlit et n'est plus, la lumière qui s'attarde devient l'ombre d'une nouvelle lumière.

De même, ta liberté, en perdant ses fers, apparaîtra comme le fer d'une plus grande liberté.

La devineresse reprit la parole : Qu'en est-il de la Raison et de la Passion ?

Il dit :

Votre âme est parfois un champ de bataille où raison et jugement combattent la passion et le désir.

Puissé-je être le pacificateur de votre âme, transformer la discorde et la rivalité de vos éléments en unité et en mélodie !

Mais comment y arriverai-je, à moins que vous ne soyez vous aussi des faiseurs de paix, et même des amants de tout ce qui vous compose ?

Votre raison et votre passion sont le gouvernail et les voiles de votre âme navigatrice.

Si voiles ou gouvernail se brisent, vous ne pourrez qu'être malmenés et dériver, ou bien rester en panne entre deux eaux.

Car la raison, si elle est seule à gouverner, est une force qui limite ; tandis que la passion, laissée à elle-même, est flamme qui brûle jusqu'à se détruire elle-même.

Laissez donc votre âme exalter la raison jusqu'à la hauteur de la passion, pour qu'elle chante ;

Et qu'elle guide la passion à force de raison, que celle-ci vive jusqu'à sa propre résurrection journalière et tel le phénix renaisse de ses cendres.

J'aimerais que vous considériez votre jugement et votre désir comme vous feriez de deux invités chéris sous votre toit.

Car il est bien certain que vous n'honorcriez pas l'un plus que l'autre ; car se soucier davantage de l'un vous fait perdre l'amour et la confiance des deux.

Parmi les collines, quand vous êtes assis à l'ombre fraîche des peupliers blancs, goûtez la paix et la sérénité des prés et des champs éloignés, que votre cœur murmure en silence : « Dieu repose dans la raison. »

Et quand vient l'orage, que le vent puissant secoue la forêt, que le tonnerre et l'éclair proclament la majesté du ciel, que votre cœur terrifié déclare : « Dieu se meut dans la passion. »

Et puisque vous êtes un souffle de la sphère divine, une feuille dans la forêt de Dieu, vous devriez vous aussi reposer dans la raison, bouger par la passion.

Et une femme s'avança : Parle-nous de la Douleur.
Il dit :

Ta douleur marque l'éclatement de la coquille qui enferme ta compréhension.

Comme le noyau du fruit doit s'ouvrir pour que son cœur paraisse au soleil, tu dois connaître la douleur.

Et si ton cœur pouvait continuer de s'émerveiller des miracles journaliers de ta vie, ta douleur ne te semblerait pas moins merveilleuse que ta joie ;

Tu accepterais les saisons de ton cœur, comme tu as toujours accepté les saisons qui passent sur les champs.

Et tu observerais sereinement les hivers du chagrin.

Cette douleur, pour une grande part, est volontairement choisie.

C'est l'amère potion par laquelle ton médecin intime guérit ton moi malade.

Remets-t-en donc à lui, et bois son remède dans le silence et le calme ;

Car sa main, bien que dure et lourde, c'est la tendre main de l'Invisible qui la guide.

Et la coupe qu'il te tend, si elle te brûle les lèvres, fut modelée dans une argile humectée par les larmes sacrées du Potier.

Quelqu'un dit ensuite : Parle-nous de la Connaissance de soi.

Il répondit :

Vos cœurs connaissent dans le silence les secrets des jours et des nuits.

Mais vos oreilles aspirent à entendre la connaissance de ce cœur.

Vous voudriez connaître en paroles ce que vous avez toujours connu en pensée.

Vous voudriez toucher du doigt le corps nu de vos rêves.

Il est bon que vous le vouliez.

La source cachée et jaillissante de votre âme est obligée de sortir et de courir en murmurant vers la mer ;

Et le trésor de vos profondeurs infinies voudrait se révéler à vos yeux.

Mais n'allez pas peser ce trésor inconnu sur une balance ;

Ne fouillez pas les fonds de ce savoir avec une gaffe ou une sonde.

Car ce soi est une mer illimitée, sans mesure.

Ne dites pas : « J'ai trouvé la vérité », mais plutôt :
« J'ai trouvé une vérité. »

Ne dites pas : « J'ai trouvé le chemin de l'âme. »

Dites plutôt : « J'ai croisé l'âme qui marchait sur mon chemin. »

Car celle-ci marche sur tous les chemins.

Elle ne marche pas en droite ligne, ne pousse pas davantage comme un roseau.

L'âme se déroule, telle un lotus aux innombrables pétales.

Un professeur dit alors : Parlez-nous de l'Enseignement.

Il répondit :

Nul ne peut te révéler quoi que ce soit sinon ce qui gît déjà, à moitié réveillé, dans l'aube de ton savoir.

Le professeur qui marche à l'ombre du temple, parmi ses disciples, ne dispense pas sa sagesse, mais plutôt sa foi et son amour.

S'il est sage, il ne t'ordonnera pas d'entrer dans la demeure de sa sagesse, mais te conduira plutôt au seuil de ton propre esprit.

L'astronome te parlera peut-être de sa compréhension de l'espace, mais il ne saurait te donner cette compréhension.

Le musicien te chantera peut-être le rythme qui sous-tend l'espace universel, mais il ne saurait t'offrir l'oreille qui repère ce rythme, ni la voix qui le reproduit.

Et qui maîtrise la science des nombres peut disserter sur les domaines du poids et des mesures, sans pouvoir t'y conduire.

Car la vision d'un homme ne prête pas ses ailes à un autre.

Et de même que chacun d'entre vous se dresse seul
dans le savoir divin, chacun doit rester seul dans sa
connaissance de Dieu et sa compréhension de la terre.

Un jeune homme intervint : Parlez-nous de l'Amitié.

Il répondit en ces termes :

Ton ami est la réponse à tes besoins.

Il est le champ que tu sèmes d'amour et récoltes en rendant grâces.

Il est ta table chargée de mets et ton âtre.

Car tu viens à lui affamé et le recherches pour la paix.

Quand ton ami te découvre son avis, tu ne redoutes pas de lui dire « Non », tu ne retiens pas ton « Oui ».

Et quand il est silencieux, ton cœur ne cesse pas d'écouter le sien ;

Car sans mots, dans l'amitié, toutes paroles, tous désirs, toutes espérances naissent et se partagent, avec une joie spontanée.

Quand tu te sépares de ton ami, tu ne t'affliges pas ;

Car ce que tu aimes le plus en lui pourra s'éclaircir en son absence, comme la montagne pour le grimpeur est plus nette depuis la plaine.

Et que l'amitié n'ait d'autre but qu'approfondissement de l'esprit.

Car l'amour qui ambitionne autre chose que la révélation de son mystère n'est pas amour mais un filet jeté, lequel n'attrape que l'inutile.

Qu'à ton ami tu donnes de ton meilleur.

S'il doit connaître le reflux de ta marée, qu'il connaisse aussi son raz.

Que serait ton ami si tu le cherchais pour tuer le temps ?

Cherche-le toujours pour le vivre.

Car il lui appartient de satisfaire ton besoin, pas ton vide.

Et qu'il y ait rire dans la douce amitié, et partage de plaisirs.

Car dans la rosée des détails, le cœur trouve son matin et la fraîcheur.

Alors un érudit parla : Qu'en est-il de la Parole ?

Il répondit :

Vous parlez quand vous cessez d'être en paix avec vos pensées.

Lorsque vous ne pouvez plus demeurer dans la solitude du cœur, vous vivez par les lèvres, et le son est une diversion et un passe-temps.

Dans un grand nombre de vos propos, la pensée est à moitié estropiée.

Car la pensée est oiseau d'espace qui dans la cage des mots saura peut-être déployer les ailes, mais pas voler.

Il en est parmi vous qui recherchent le bavard par crainte de rester seuls.

Le silence de la solitude leur met sous les yeux leur soi nu auquel ils voudraient échapper.

Il en est qui parlent et sans connaissance ni prévoyance révèlent une vérité qu'eux-mêmes ne comprennent pas.

Il y a ceux qui ont la vérité au-dedans d'eux, mais ne l'articulent pas.

Dans leur poitrine, résident l'esprit et son silence rythmé.

Quand tu rencontreras l'ami sur la route ou la place du marché, que l'esprit t'ouvre les lèvres et dirige ta langue.

Que la voix qui habite ta voix s'adresse à l'oreille de son oreille ;

Car son âme gardera la vérité de ton cœur comme on se souvient du goût d'un vin.

Lorsque la couleur en a passé et que la coupe n'existe plus.

Un astronome demanda : Maître, qu'en est-il du Temps ?

Il lui fit cette réponse :

Vous voudriez mesurer le temps, sans mesure et innombrable.

Vous voudriez ajuster votre conduite et même la course de votre esprit conformément aux heures et aux saisons.

Du temps vous voudriez faire un fleuve, vous asseoir sur sa berge et observer son cours.

Pourtant, l'intemporel en vous a conscience de l'atemporalité de la vie,

Il sait qu'hier n'est que le souvenir d'aujourd'hui, demain le rêve de ce jour.

Et que ce qui chante et contemple en vous habite encore le tout premier moment qui vit les étoiles s'éparpiller dans l'espace.

Qui parmi vous ne sent que sa capacité d'aimer est illimitée ?

Et cependant qui ne sent cet amour, quoique illimité, serti au centre de son être, empêché d'aller de pensée amoureuse en pensée amoureuse, d'actes d'amour vers d'autres actes d'amour ?

Et le temps n'est-il semblable à l'amour, d'un seul bloc et impétueux ?

Mais s'il vous faut fragmenter le temps en saisons, que chacune encercle toutes les autres saisons,
Que l'aujourd'hui embrasse le passé de souvenir et le futur d'attente.

L'un des anciens de la ville prit la parole : Éclairez-nous sur le Bien et le Mal.

Il répondit :

Du bien en vous, je puis parler, mais non du mal.

Car qu'est-ce que le mal sinon du bien torturé par sa propre faim et sa soif ?

Vraiment, lorsqu'il a faim, le bien cherche sa subsistance jusque dans les grottes sombres et quand il a soif, il boit même aux eaux mortes.

Vous êtes bons sitôt que vous êtes en accord avec vous.

Ce qui ne veut pas dire que vous soyez mauvais quand vous n'êtes pas en accord avec vous.

Car une maison divisée n'est pas un repaire de voleurs, rien qu'une maison divisée.

Et un bateau sans gouvernail peut errer sans but parmi les îles périlleuses sans sombrer jusqu'au fond.

Vous êtes bons quand vous vous efforcez de donner de vous-mêmes.

Ce n'est pas être mauvais, toutefois, que de chercher son propre intérêt.

Car en désirant votre intérêt, vous n'êtes qu'une racine qui s'accroche à la terre et en tète le sein.

Car le fruit ne saurait dire à la racine : « Ressemble-moi, mûr et plein, donnant toujours de mon abondance. »

Pour le fruit, donner est un besoin, de même que recevoir pour la racine.

Vous êtes bons quand vous êtes tout à fait conscients dans vos propos.

Ce n'est pas être mauvais, cependant, que de dormir pendant que votre langue trébuche sans but.

Et des propos incohérents renforceront peut-être une langue affaiblie.

Vous êtes bons quand vous marchez d'un pas ferme vers votre but, à pas hardis.

Vous n'êtes pas méchants, malgré tout, si vous vous y rendez en boitant.

Les boiteux eux-mêmes ne vont pas à reculons.

Mais vous qui êtes forts et rapides, veillez à ne pas boiter devant les boiteux, en croyant vous montrer gentils.

Vous êtes bons de mille façons, et point mauvais quand vous n'êtes pas bons,

Seulement hésitants et indolents. Dommage que les cerfs ne puissent enseigner la vitesse aux tortues.

Votre bonté résulte du désir de trouver votre soi géant : ce désir vous habite tout entier.

Chez certains d'entre vous il devient un torrent qui se rue puissamment vers la mer, emportant les secrets des collines et les chansons de la forêt.

Chez d'autres, c'est un courant plat qui se perd dans des angles, des coudes, s'attarde avant l'estuaire.

Mais que celui qui désire ardemment n'aille pas dire à celui qui désire peu : « Comment se fait-il que tu tardes et temporises ? »

Car le vraiment bon ne demande pas au nu : « Où est ton habit ? » Ni au sans-logis : « Qu'est-il arrivé à ta maison ? »

Alors une prêtresse s'enquit : Parlez-nous de la Prière.

Il répondit :

Vous priez dans votre détresse et vos frustrations ; j'aimerais que vous puissiez aussi prier dans la plénitude de votre joie et aux jours d'abondance.

Car qu'est la prière, sinon votre dilatation dans l'éther de la vie ?

Et si vous trouvez du réconfort à déverser votre obscurité dans l'espace, vous aurez aussi plaisir à prodiguer l'aube de votre cœur.

Seriez-vous capable de pleurer uniquement quand votre âme vous appelle à la prière, elle devrait vous éperonner toujours et encore, à travers les larmes, jusqu'à ce que vous en sortiez en riant.

Prier, c'est s'élever pour rencontrer dans les airs tous ceux qui prient en cet instant et que vous risqueriez de ne pas rencontrer, sinon par la prière.

Que votre visite en cet invisible temple n'aspire donc qu'à l'extase et à une tendre communion.

Car si vous deviez n'y pénétrer sans autre but qu'une demande, vous ne recevriez pas ;

Y entreriez-vous pour vous humilier, vous ne seriez pas exaltés ;

Et même si vous venez y réclamer le bien pour autrui, on ne vous entendra pas.

C'est assez d'en pousser l'invisible porte.

Je ne puis vous enseigner comment prier par des paroles.

Dieu n'écoute pas vos propos sauf lorsqu'Il les exprime Lui-même par vos lèvres.

Et je ne saurais vous enseigner la prière des mers, des forêts et des montagnes.

Mais vous qui êtes nés des montagnes, des forêts et des mers, vous pourrez trouver leurs prières dans vos cœurs,

Et à condition d'écouter dans le calme nocturne, vous les entendrez dire en silence :

« Notre Dieu, qui es notre moi ailé, c'est Ta volonté qui veut en nous.

C'est Ton désir en nous qui désire.

C'est Ton ardeur en nous qui voudrait transformer nos nuits, qui T'appartiennent, en jours, qui T'appartiennent aussi.

Nous ne saurions rien Te demander, car Tu connais nos désirs avant qu'ils ne naissent en nous ;

Tu es ce qui nous manque ; en nous donnant de Toi davantage Tu nous donnes tout. »

Alors un ermite, qui pénétrait dans la ville une fois par an, se manifesta : Parle-nous du Plaisir.

Il répondit en ces termes :

Le plaisir est un chant de liberté,

Mais ce n'est pas la liberté.

C'est l'épanouissement de vos désirs,

Mais non leur fruit.

C'est la profondeur qui en appelle à la hauteur,

Ce n'est ni le bas ni le haut.

C'est l'encagé qui prend son essor,

Mais point l'étreinte de l'espace.

Oui, en vérité, le plaisir est un chant de liberté.

Et je souhaiterais fort que vous le chantiez de tout votre cœur ; prenez garde, pourtant, de ne perdre vos cœurs dans ce chant.

Une certaine jeunesse cherche le plaisir comme s'il était tout, on la juge et on la condamne.

Je ne la jugerais ni ne la condamnerais. Je l'inviterais à chercher.

Car elle trouvera le plaisir, mais pas seulement lui,

Il a sept frères et le moindre d'entre eux est plus beau que le plaisir.

N'avez-vous pas entendu parler de l'homme qui creusait la terre pour trouver des racines et qui tomba sur un trésor ?

Certains de vos anciens se rappellent leurs plaisirs avec regret comme des méfaits commis dans l'ivresse.

Or le regret est obscurcissement de l'esprit, pas sa punition.

Ils devraient se rappeler leurs plaisirs avec gratitude, comme une moisson d'été.

Pourtant, si regretter les rassure, qu'ils soient rassurés.

Et puis il y a ceux d'entre vous qui ne sont ni assez jeunes pour chercher, ni assez vieux pour se souvenir ;

Dans leur crainte de chercher et de se souvenir, ils fuient tout plaisir, de peur de négliger le plaisir ou de l'offenser.

Or, au sein même de ce refus il y a du plaisir.

Ainsi trouvent-ils eux aussi un trésor bien qu'ils creusent à la recherche de racines, les mains tremblantes.

Mais dites-moi, quel est celui qui peut offenser l'esprit ?

Le rossignol injurie-t-il la quiétude de la nuit, la luciole les étoiles ?

Votre flamme ou votre fumée pèsera-t-elle sur le vent ?

Croyez-vous que l'esprit soit une mare stagnante que vous puissiez troubler avec une gaffe ?

Bien souvent, en vous refusant du plaisir, vous ne faites qu'entasser le désir dans les recoins de votre être.

Qui sait si ce qui paraît repoussé aujourd'hui n'attend pas demain ?

Votre corps lui-même connaît votre apanage, son besoin légitime et refuse d'être trompé.

Votre corps est la harpe de votre âme,

Et il vous appartient d'en tirer une douce mélodie ou des sons confus.

Et maintenant vous me demandez : « Comment distinguer entre ce qui est bon dans le plaisir et ce qui ne l'est pas ? »

Allez dans vos champs et vos jardins, et vous apprendrez que le plaisir de l'abeille consiste à butiner le miel de la fleur,

Et que le plaisir de la fleur consiste à céder son miel à l'abeille.

Car pour l'abeille, la fleur est fontaine de vie,

Pour la fleur l'abeille est messagère d'amour,

Pour toutes deux, abeille et fleur, donner et recevoir du plaisir est un besoin et une extase.

Peuple d'Orphalese, soyez en vos plaisirs tels les fleurs et les abeilles.

Un poète s'avança : Parlez-nous de la Beauté.

Il répondit :

Où chercherez-vous la beauté, comment la trouve-rez-vous, à moins qu'elle ne soit elle-même votre che-min et votre guide ?

Comment en parler sauf si elle tisse vos propos ?

Le blessé et l'offensé disent : « La beauté est douce et bonne.

Semblable à une jeune mère, à moitié gênée par sa gloire, elle marche parmi nous. »

Le passionné s'exclame : « Non, la beauté est chose puissante et terrifiante.

Comme une tempête, elle ébranle la terre sous nos pieds et le ciel au-dessus. »

L'épuisé et le las déclarent : « La beauté est faite de doux murmures. Elle nous parle à l'esprit.

Sa voix s'efface dans nos silences comme une pâle lueur qui tremblote par peur de l'ombre. »

Mais l'inquiet affirme : « Nous l'avons entendue hur-ler dans les montagnes,

Avec ses cris déferlaient le martèlement des sabots,

le claquement des ailes et le rugissement des lions. »

À la nuit, les veilleurs de la ville remarquent : « La beauté se lèvera avec l'aube sur l'orient. »

À midi, les travailleurs et les routiers s'étonnent : « Nous l'avons vue se pencher sur la terre aux fenêtres du couchant. »

En hiver, l'enneigé affirme : « Elle viendra avec le printemps, en bondissant sur les collines. »

Dans la chaleur d'été, les faucheurs remarquent : « Nous l'avons vue danser avec les feuilles d'automne et nous vîmes une bouffée de neige dans ses cheveux. »

Voilà tout ce que vous avez dit de la beauté,

Pourtant vous ne parliez pas d'elle, en réalité, mais de besoins insatisfaits ;

Or, la beauté n'est pas un besoin, mais une extase.

Ce n'est pas une bouche assoiffée, pas une main vide et tendue,

Plutôt un cœur enflammé et une âme enchantée.

Ce n'est pas l'image que vous voudriez voir ni la chanson que vous voudriez entendre,

Plutôt une image que vous voyez en fermant les yeux, une chanson entendue oreilles closes.

Ce n'est pas la sève au sein de l'écorce sillonnée, ni une aile attachée à une griffe,

Plutôt un jardin à jamais fleuri, un essaim d'anges

en vol pour toujours.

Peuple d'Orphalese, la beauté est la vie quand celle-ci dévoile sa sainte face.

Et c'est vous la vie et le voile.

La Beauté, c'est l'éternité qui s'observe dans un miroir

Et vous êtes l'éternité et le miroir tout ensemble.

Alors un vieux prêtre prit la parole : qu'en est-il de la Religion ?

Il reprit :

Ai-je aujourd'hui parlé d'autre chose ?

La religion n'est-elle tout entière actions et toute réflexion,

Et ce qui n'est ni action ni réflexion, mais un étonnement et une surprise toujours jaillissante en l'âme, même lorsque les mains taillent la pierre ou préparent le métier ?

Qui saurait séparer sa foi de ses actes, ou sa conviction de ses occupations ?

Qui peut étaler ses heures devant lui, en déclarant :

« Cela ira à Dieu, cela à moi ; ceci à mon âme, ceci à mon corps » ?

Chacune de vos heures sont des ailes qui brassent l'espace d'un soi à un autre.

Qui porte sa moralité comme son meilleur costume ferait mieux d'aller nu,

Le vent et le soleil ne perceront aucun trou dans sa peau.

Et celui qui définit sa conduite par la science éthique emprisonne son oiseau chanteur dans une cage.

Le plus libre chant ne sort pas d'entre des barreaux ni des fils de fer.

Et celui pour qui le culte est une fenêtre, à ouvrir mais aussi à fermer, n'a pas encore visité la demeure de son âme dont les fenêtres s'étendent d'une aube à l'autre.

Votre vie quotidienne est votre temple et votre religion.

Entrez-y à chaque fois avec tout ce qui vous appartient.

Prenez la charrue et la forge, le marteau et le luth,

Les choses modelées par la nécessité ou pour le plaisir.

Car dans la rêverie, on ne saurait surpasser ses réussites ni déchoir en dessous de ses échecs.

Et prenez avec vous toute l'humanité :

Car dans l'adoration, vous ne pouvez survoler leurs espérances ni vous humilier plus bas que leur désespoir.

Et si vous désirez connaître Dieu, ne songez pas à résoudre les énigmes.

Regardez plutôt autour de vous et vous Le verrez jouer avec vos enfants.

Considérez l'espace ; vous Le verrez marcher sur les nuées, tendre les bras dans l'éclair et descendre dans la pluie.

Vous Le verrez sourire dans les fleurs, se relever et agiter les mains dans les arbres.

Almitra posa une nouvelle question : Nous aimerions entendre parler de la Mort.

Vous voudriez connaître le secret de la mort.

Mais comment le connaître à moins de le chercher au cœur de la vie ?

La chouette dont les yeux pétris de nuit sont aveugles en plein jour ne saurait percer le mystère de la lumière.

Si vous voulez vraiment contempler l'esprit de la mort, ouvrez largement votre cœur vers le corps de la vie.

Car la vie et la mort sont une, comme le fleuve et la mer.

Dans les profondeurs de vos espérances et de vos désirs, on trouve votre muette connaissance de l'au-delà ;

Graine rêveuse sous la neige, votre cœur rêve du printemps.

Remettez-vous-en aux rêves, car en eux se cache la porte de l'éternité.

Votre crainte de la mort n'est que le tremblement du berger debout devant le roi dont la main va l'adouber.

N'est-il pas joyeux, sous son effroi, d'avoir à porter la marque du roi ?

Pourtant, il est plus préoccupé par son tremblement.

Car qu'est-ce que mourir, sinon se dresser nu dans le vent et fondre sous le soleil ?

Cesser de respirer, sinon libérer le souffle de ses constantes marées, qu'il s'élève, s'épanouisse et trouve Dieu sans obstacle ?

Vous ne chanterez vraiment que le jour où vous boirez de la rivière du silence.

C'est au sommet de la montagne que vous commencerez l'ascension.

Vous danserez pour de bon quand la terre réclamera vos membres.

Et l'on était au soir.

Almitra la devineresse déclara : Bénis soient ce jour et ce lieu et ton esprit qui a parlé.

Fut-ce moi qui parlai ? répondit-il ;

N'étais-je pas aussi un auditeur ?

Puis il descendit le parvis du Temple et tout le monde le suivit. Il atteignit son bateau et s'arrêta sur le pont.

Se tournant vers l'assemblée, il éleva la voix :

Peuple d'Orphalese, le vent me commande de vous quitter.

Moins pressé que lui, certes, je dois pourtant partir.

Nous autres vagabonds, toujours en quête d'un chemin vierge, le jour qui se lève ne nous trouve jamais là où nous nous endormions hier ; point de crépuscule qui nous surprenne au même point que le lever de soleil.

Nous voyageons alors même que la terre repose.

Nous sommes les graines d'une plante tenace, c'est dans notre maturité et la plénitude de notre cœur que nous sommes donnés au vent et disséminés.

Brefs furent mes jours parmi vous, plus brefs encore les mots que j'ai dits.

Mais si ma voix s'estompait à votre oreille, mon amour se dissipait dans votre mémoire, je reviendrais,

Et je parlerais avec un cœur plus riche, des lèvres plus ouvertes à l'esprit.

Oui, je reviendrais avec la marée.

Et quand la mort me cacherait, le grand silence m'ensevelirait, je chercherais encore votre compréhension.

Et pas en vain.

Si ce que j'ai dit est vrai, cette vérité se révélera d'une voix plus claire, par des mots plus étroitement liés à vos pensées.

Je pars avec le vent, peuple d'Orphalese, mais ne m'enfonce pas dans le vide ;

Si ce jour ne combla pas vos besoins ni mon amour, qu'il soit au moins la promesse d'un tel jour.

Les besoins de l'homme changent, pas son amour, ni son désir que cet amour justifie ses besoins.

Sachez donc que, du très vaste silence, je reviendrai.

La brume qui dérive à l'aube, qui ne laisse que rosée dans les champs, va monter et former un nuage pour retomber en pluie.

Mon rôle n'a pas été si différent.

Dans la quiétude de la nuit, j'ai marché dans vos rues, mon esprit est entré chez vous,

Vos cœurs battaient dans le mien, votre souffle parcourait mon visage, je vous connaissais tous.

Oui, j'ai su votre joie et votre douleur, dans votre sommeil vos rêves furent mes rêves.

Bien souvent, je fus parmi vous un lac parmi les montagnes.

Je réfléchissais les sommets en vous et les versants pentus, et même les troupeaux migrants de vos pensées et de vos désirs.

Dans mon silence vint le ruisseau du rire de vos enfants, la rivière ardente de vos adolescents.

Déferlant dans mes abîmes, ruisseau et rivière n'ont pas cessé leur chant.

Ils m'arrivèrent plus doux que le rire, plus nobles que l'ardeur.

C'était l'infinité en vous ;

Ce géant dont vous n'êtes que les cellules et les tendons ;

Lui dans la mélodie duquel tout votre chant n'est qu'un pouls silencieux.

Dans ce géant vous êtes géants,

C'est en le contemplant que je vous ai contemplés et aimés.

Car quelles sont les distances accessibles à l'amour qui ne soient dans cette vaste sphère ?

Quelles visions, quelles espérances, quelles ambitions peuvent surpasser cet essor ?

Il est en vous comme un chêne immense couvert de fleurs de pommiers.

Sa force vous lie à la terre, sa fragrance vous soulève dans l'espace, son inaltérabilité vous rend immortels.

On vous a dit que, semblables à une chaîne, vous êtes aussi faibles que votre plus faible maillon.

C'est une demi-vérité. Vous êtes également aussi forts que votre maillon le plus solide.

Vous mesurer par votre acte le plus modeste, ce serait évaluer la puissance de l'océan par la fragilité de son écume.

Vous juger par vos échecs, c'est blâmer les saisons de leur inconstance.

Certes, vous êtes un océan,

Et même si les bateaux aux coques lourdes attendent la marée sur vos rives, vous ne pouvez, semblables à l'océan, hâter vos marées.

Pareils aux saisons, également :

Et même si vous démentez le printemps dans votre hiver,

Le premier, engourdi en votre sein, sourit dans sa somnolence, sans s'offusquer.

Ne croyez pas que j'affirme cela pour que vous puissiez vous dire : « Il nous a loués. Il n'a vu que le bien en nous. »

J'exprime seulement les mots traduisant vos pensées intimes.

Qu'est la connaissance dicible sinon l'ombre de la connaissance indicible ?

Vos pensées et mes mots sont des vagues issues d'une mémoire scellée qui se souvient de nos hiers.

Et des jours anciens quand la terre ne connaissait ni nous ni elle-même,

Et des nuits où elle était dévastée par la confusion.

Des sages sont venus vous donner de leur sagesse. Je suis venu vous en prendre :

Et voyez, j'ai trouvé ce qui est plus grand que la sagesse.

C'est un esprit enflammé en vous qui ne cesse de croître,

Alors même qu'inconscients de son expansion, vous déplorez le rétrécissement de vos jours.

C'est la vie en quête de la vie dans des corps qui redoutent la tombe.

Il n'y a pas de tombes ici.

Ces montagnes et ces plaines sont un berceau et une pierre de gué.

À chaque fois que vous passez le long du champ où reposent vos ancêtres, regardez bien et vous vous verrez avec vos enfants dansant main dans la main.

Car vous vous amusez souvent sans le savoir.

D'autres sont venus à vous auxquels, en échange de promesses dorées faites à votre foi, vous n'avez donné que richesses, puissance et gloire.

Je vous ai offert moins qu'une promesse, et pourtant vous vous êtes montrés plus généreux avec moi.

Vous m'avez donné ma soif plus ardente de vie.

Or il n'est sûrement pas de plus grand cadeau pour un homme que celui qui transforme tous ses buts en lèvres brûlantes, toute vie en fontaine.

En cela réside mon honneur et ma récompense.

Qu'à chaque fois que je viens boire à la fontaine, je découvre que l'eau vive elle-même est assoiffée ;

Et qu'elle s'abreuve de moi quand je la bois.

Certains d'entre vous m'ont cru fier et trop timide pour accepter des dons.

Trop fier en effet pour recevoir salaire, mais pas un don.

Et si j'ai mangé des baies dans les collines quand vous auriez voulu m'accueillir à votre table,

Et dormi sous le portique du temple lorsque vous m'auriez volontiers abrité,

Ne fut-ce pourtant pas votre affectueux souci pour mes jours et mes nuits qui rendit la nourriture douce à ma bouche et ceignit mon sommeil de visions ?

Pour cela surtout je vous bénis :

Vous donnez beaucoup et ignorez même que vous donnez.

De fait, la bonté qui se regarde dans un miroir se
pétrifie,

Et une bonne action qui se prodigue de doux noms
engendre le mauvais sort.

Certains m'ont tenu pour orgueilleux, grisé de ma
propre solitude,

Et vous avez dit : « Il s'entretient avec les arbres de la
forêt, mais pas avec les hommes.

Il siège seul sur les cimes des collines et méprise notre
ville. »

Il est exact que j'ai grimpé les collines et arpenté des
endroits écartés.

Comment vous découvrir, sinon d'une grande hauteur ou d'une vaste distance ?

Du reste, comment être vraiment proche, à moins
d'être loin ?

D'autres parmi vous m'ont appelé, sans mots, et ils
ont dit :

« Étranger, étranger, amant des hauteurs extrêmes,
pourquoi vis-tu sur les cimes, là où les aigles bâtissent
leurs aires ?

Pourquoi cherches-tu l'inaccessible ?

Quelles tempêtes voudrais-tu prendre en ton filet,

Quels oiseaux brumeux cherches-tu dans le ciel ?

Viens, sois l'un d'entre nous.

Descends, calme ta faim avec notre pain, étanche ta soif avec notre vin. »

Ils déclaraient cela dans la solitude de leurs âmes ;

Mais leur solitude fût-elle plus profonde, ils auraient compris que je ne cherchais que le secret de votre joie et de votre souffrance,

Que je chassais seulement vos plus grands moi qui fréquentent le ciel.

Mais le chasseur était aussi chassé ;

Car plusieurs de mes flèches n'ont quitté mon arc que pour chercher ma propre poitrine.

Et qui volait rampait également ;

Car lorsque j'étendais mes ailes au soleil, leur ombre sur la terre était une tortue.

Et moi qui étais le croyant, j'étais aussi celui qui doute ;

Plusieurs fois, j'ai placé le doigt dans ma blessure pour croire d'autant plus en vous et vous connaître d'autant mieux.

C'est fort de cette foi et de cette connaissance que j'affirme :

Vous n'êtes pas renfermés dans vos corps, ni confinés aux maisons et aux champs.

Ce qui est vous demeure plus haut que la montagne et rôde avec le vent.

Ce n'est pas une créature qui se traîne au soleil à la

recherche de chaleur ni qui creuse des trous dans l'obscurité où se réfugier,

Mais une chose libre, un esprit qui enveloppe la terre et se meut dans l'éther.

Si ce sont là de vagues sentences, ne cherchez pas à les éclaircir.

Vague et nébuleux le commencement de toute chose, mais pas sa fin,

Et je préfère que vous vous souveniez de moi comme d'un commencement.

La vie, et tout ce qui vit, se conçoit dans la brume, non dans le cristal.

Et qui sait si le cristal n'est peut-être pas déclin de brume ?

Voici ce que je voudrais vous voir vous rappeler quand vous penserez à moi :

Que ce qui paraît le plus faible et farouche en vous est ce que vous avez de plus fort et de plus résolu.

N'est-ce donc point votre souffle qui érigea et durcit la structure de vos os ?

Et n'est-ce pas un rêve qu'aucun de vous ne croit avoir rêvé qui construisit cette ville, y façonna tout ce qui s'y trouve ?

Puissiez-vous seulement voir les marées de ce souffle, vous ne verriez plus que lui,

Et si vous pouviez entendre le chuchotement du rêve, vous n'entendriez plus rien d'autre.

Mais vous ne voyez pas, ni n'entendez, et c'est bien ainsi.

Le voile qui ennuage vos yeux, les mains qui l'ont tissé le relèveront,

Et l'argile qui vous remplit l'oreille, la perceront les doigts qui l'ont modelée.

Et vous verrez.

Et vous entendrez.

Pourtant, vous ne déplorerez pas d'avoir connu la cécité, ni d'avoir été sourd.

Car en ce jour-là, vous connaîtrez les desseins cachés de toutes choses,

Et vous bénirez l'obscur comme vous bénirez la lumière.

Ayant dit, il regarda autour de lui et vit le pilote de son navire debout à la barre, les yeux tournés tantôt vers les voiles pleines tantôt vers l'horizon.

Il déclara :

Patient, trop patient, le capitaine de mon bateau.

Le vent souffle, les voiles sont agitées ;

Le gouvernail lui-même supplie qu'on le dirige ;

Pourtant mon capitaine attend calmement mon silence.

Et ces nautoniers, qui ont saisi le chœur de la vaste mer, ils m'ont écouté patiemment, eux aussi.

Ils n'attendront pas plus longtemps.

Je suis prêt.

Le cours d'eau s'est jeté dans la mer ; une fois de plus, la grande mère serre son fils contre son sein.

Porte-toi bien, peuple d'Orphalese.

Ce jour s'achève.

Il se referme sur nous comme le nénuphar sur son lendemain.

Ce qui nous fut ici donné, nous le garderons.

Et si cela ne suffit pas, alors nous devrons nous réunir et tendre ensemble les mains vers le donneur.

N'oubliez pas que je vous reviendrai.

Encore un peu, et mon ardeur recueillera écume et poudre pour un autre corps.

Encore un peu, un court répit dans le vent, et une autre femme m'enfantera.

Adieu à vous, à la jeunesse passée parmi vous.

C'est hier seulement que nous nous rencontrions en rêve.

Vous avez chanté pour ma solitude et j'ai dressé de vos désirs une tour vers le ciel.

À cette heure, notre sommeil a fui, notre rêve est achevé, l'aube dissipée.

Midi est sur nous, notre somnolence est devenue plein jour : il faut se quitter.

Au crépuscule de la mémoire, si nous devions nous revoir, nous parlerons à nouveau et vous me chanterez un chant plus ample.

Si nos mains se rencontrent dans un autre rêve, nous lancerons une autre tour dans le ciel.

Puis il fit un signal aux marins qui levèrent aussitôt l'ancre, larguèrent les amarres et ils partirent vers l'est.

Un cri jaillit du peuple, comme d'une seule poitrine, qui monta dans la brune, fila sur la mer tel un grand coup de trompette.

Almitra seule restait muette, fixant le navire jusqu'à sa disparition parmi la brume.

Tous s'étaient dispersés mais elle restait encore sur la digue, chérissant sa parole en son cœur :

« Encore un peu, un court répit dans le vent, et une autre femme m'enfantera. »

Le mystère
du *Prophète*

Il suffit d'ouvrir le livre. Le texte est d'une grande beauté, mais il a quelque chose de plus, un courant souterrain qui court derrière les mots, une voix qui parle et provoque un vide en soi, comme un mystère.

Après douze années d'exil dans la cité d'Orphalese, Al Mustapha, l'élu et le bien-aimé, voit venir le bateau qui doit le ramener dans son île d'origine. À l'annonce de son départ, le peuple se rassemble. *Le Prophète* est écrit en anglais. Le sage oriental qui a longtemps séjourné parmi les Américains s'adresse donc à eux dans leur propre langue le jour de son grand départ et leur livre l'essence de sa croyance. Le théâtre allégorique est dressé. Par sa forme, le texte est une leçon humble, grave et bienveillante de l'Orient à l'Occident, faite par l'un des fils de la Nahda, le grand mouvement de renaissance culturelle qui a traversé le monde arabe à la fin du XIXe siècle. Ouvrons bien nos oreilles, celui-là qui a « veillé avec nos jours » et « écouté les pleurs et les rires de notre sommeil » va nous dire sa vérité, « que nous donnerons à nos enfants et eux-mêmes à leurs enfants, et elle ne périra point ».

Avant même que la prophétie proprement dite ne commence, un grand silence s'établit donc. « Un chercheur de silences, voilà ce que je suis, et quels trésors ai-je trouvés en mes silences que je puisse dispenser avec confiance ? », écrit Gibran. Au fond, peut-être aurait-il préféré se taire, mais son cœur est devenu « un arbre lourd de fruits », et puisqu'il faut partir, le moment est peut-être venu de « cueillir et distribuer ». Des hommes et des femmes sortent de la foule et l'interrogent comme on interrogerait une Pythie. Sur l'exil, l'amour, les enfants, le manger et le boire, le travail, la douleur, l'amitié, la beauté, la mort. En quelques phrases jaillies de son inspiration la plus profonde, le prophète répond. Il parle de la joie et de la tristesse, du crime et du châtiment, des lois, mais aussi de l'acheter et du vendre, du plaisir, du temps. « Vos enfants ne sont pas vos enfants, dit-il, ils sont les fils et les filles de l'appel de la Vie à elle-même. […] Le malfaiteur ne peut agir mal sans le secret acquiescement de tous. […] Votre joie est votre tristesse sans masque » ; quant au mal, « qu'est-ce sinon le bien torturé par sa propre faim et sa propre soif ? » Gibran développe le paradoxe à chaque ligne de sa prophétie, non pour affirmer la dualité des choses, mais au contraire pour en souligner la secrète unité. Car, « s'il est vraiment sage, le maître ne vous invite pas à entrer dans la maison de la sagesse, mais vous conduit plutôt au seuil de votre propre esprit ». *Le Prophète* ne donne pas des pensées mais à penser. Il offre un texte facile à consulter, une petite bible dont les réponses sont en abîme.

Rien n'indique que la morale qui l'inspire n'est pas chrétienne. Gibran est un maronite croyant, mais son christianisme est teinté d'un exotisme oriental, plus qu'un exotisme d'ailleurs, une saveur forte, une épice brûlante. Si ses références à Dieu sont continuelles, son message puise aussi à d'autres sources, sinon à d'autres dieux. Le dieu-nature d'abord, la religion du corps dans la nature, sans doute issu de l'enfance miraculeuse que Gibran a passée parmi les nymphes, dans la vallée libanaise de la Kadisha où l'on aurait dit que le monde a été créé. C'est là qu'il a « suivi l'onde et gravi les rochers[1] » et qu'il s'est « enivré d'aube dans des coupes emplies d'éther ». Ce panthéisme est longuement exhalé tout au long du *Prophète*, et parfois avec violence car Gibran aime les tempêtes. Il parle de l'orage qui éclate, de l'ami qui est « le champ que vous ensemencez avec amour et moissonnez avec reconnaissance », de lui-même dont on dit qu'« il s'entretient avec les arbres de la forêt, mais non avec les hommes », de la raison et de la passion qui sont « le gouvernail et les voiles de votre âme navigante ». Ce culte sensuel de la nature accompagne une relation si personnelle à la divinité que Gibran est accusé d'enseigner une doctrine théiste (« Notre Dieu, qui est notre moi ailé... »). Et comme si cela ne suffisait pas, il infuse dans son message un soupçon de réincarnation (« Un instant, un moment de repos sur le vent, et une autre femme m'enfantera. ») Le lecteur se retrouve dans un univers mystique subtilement païen. Cette profusion d'influences n'effraye personne, elle attire comme une religion contemporaine qui fondrait en elle toutes les autres.

Mais *Le Prophète* est plus que cela encore. Quand le livre paraît, Gibran a quarante ans. Il en avait écrit une première version en arabe à l'âge de quinze ans, qu'il avait corrigée et remaniée à deux reprises. Le texte anglais qu'il rédige par la suite, il doit le reprendre quatre fois avant de le confier à l'imprimeur. « Je voulais, écrit-il, être tout à fait sûr que chaque mot fût le meilleur que j'eusse à offrir[2]. » Pourtant, il l'affirme lui-même, l'essentiel ne figure pas dans le texte, car l'essentiel ne peut être dit. Gibran est pareil à ces hommes qu'il décrit, ceux « qui ont la vérité en eux mais ne l'expriment pas en parole », ceux chez qui « l'esprit demeure dans le rythme du silence ». De sa mère, qu'il aimait éperdument, il dit : « Elle vécut des poèmes innombrables et n'en écrivit aucun. Le chant étouffé d'une mère trouve à s'exprimer sur les lèvres de son enfant.[3] » À l'évidence, le poème intérieur est infiniment plus vaste que celui que l'on pourra jamais traduire en paroles. Gibran ne livre en fait qu'un certain nombre d'illustrations de cette chose indicible qui est la vérité muette de son âme. « C'est comme si, écrit un commentateur, la vérité était un lieu vide qu'il s'agit de combler par cette foule de figures[4]. » Mais ce vide central, ou ce trop-plein comme on voudra, le lecteur le sent à chaque ligne, il le reconnaît, devine le même en lui. Comme si l'invisible évoqué par Gibran parlait directement à l'invisible qui est en nous.

Mais l'écrivain n'envoûte pas son lecteur pour simplement le faire vivre dans la contemplation. Loin d'être nostalgique de son paradis perdu, il se projette à corps perdu vers le devenir. La prophétie entière n'a qu'un seul sens : pousser l'individu à faire effort sur lui-même, à s'élever de son « moi-pygmée » à son « moi-divin ». Cette ascèse conduit à trouver son unité, Dieu en soi, et à participer à une espèce de fusion de la nature et du monde céleste.

On a beaucoup comparé la quête du « moi-divin » du *Prophète* à celle du « surhomme » du *Zarathoustra*. L'exilé libanais était impressionné par Nietzsche (mort en 1900), qui a « cueilli les fruits de l'arbre vers lequel je me dirigeais[5] ». Mais Gibran n'est pas sulfureux. Même si son aversion pour toute autorité (celle des gouvernements comme celle des prêtres) et son mépris de la tradition (la loi des morts qui veut s'imposer aux vivants) sont assez évidents, sa rébellion est en quelque sorte contenue, dominée, transformée. L'élévation est empreinte d'humilité et de « fière soumission ». « Et si vous cherchez Dieu, écrit-il, ne soyez pas préoccupé de résoudre des énigmes. Regardez plutôt autour de vous et vous Le verrez jouant avec vos enfants. » C'est là seulement qu'il est possible d'entrer en contact avec les valeurs supérieures, non pas la liberté (« la plus forte des chaînes, bien que ses anneaux brillent au soleil »), mais la vérité, l'amour et surtout la beauté, « une image que vous voyez, bien que vous fermiez les yeux et un chant que vous entendez, bien que vous vous bouchiez les oreilles ».

Faire sentir ce qui ni ne se voit ni ne s'entend, ce qui ne se nomme même pas, tel est peut-être le secret du *Prophète*.

SÉLIM NASSIB

1. *Le Nay*, poème de Khalil Gibran publié en arabe dans *Processions*, 1919.
2. Cité dans la préface du *Prophète*, Casterman, 1977.
3. Jean-Pierre Dahdah, « Gibran, l'homme et l'œuvre », in *Khalil Gibran, poète de la sagesse*, Albin Michel, 1990.
4. Houda Ayyoub, « Langage mystique et paradoxe dans *Le Prophète* », in *Khalil Gibran, poète de la sagesse, op. cit.*
5. *Lettres à Mary Hazkell*, Quartet Books, Londres, 1972.
Toutes les autres citations sont extraites du *Prophète*.

Vie de Khalil Gibran

1883. Naissance de Khalil Gibran à Bcharré, au Liban.

1895. Départ de la famille pour Boston. Pour une raison inexpliquée, le père n'est pas du voyage.

1898. Retour de Gibran à Beyrouth, où il s'inscrit au collège de la Sagesse. Il y passe quatre ans.

1902. Nouveau départ pour Boston. Son talent artistique s'affirme. Il peint et écrit.

1903. Mort de la mère de Gibran.

1904. La directrice d'école, Mary Haskell, le protège. Il engage avec elle une correspondance que seule sa mort interrompra-.

1905. Parution de *La Musique*, le premier livre de Gibran, suivi des *Nymphes des vallées* (1907).

1908. Publication des *Esprits rebelles*. L'Église maronite juge l'ouvrage hérétique, et le pouvoir ottoman décide de le brûler en place publique. Gibran part pour Paris où il étudiera les beaux-arts.

1910. Retour à Boston, puis installation définitive à New York.

1912. Début de la correspondance entre Gibran et l'écrivain libanaise May Ziyada, qui vit en Égypte.

1916. Gibran mène une campagne en faveur des victimes, au Liban, de la famine provoquée par la guerre.

1918. Publication du *Fou*.

1919. Publication de *Processions*, en arabe.

1920. Publication du *Précurseur* et de *Tempêtes*. Gibran fonde avec d'autres écrivains arabes le Cénacle de la plume, un cercle qui se donne pour mission de publier les auteurs qui en font partie, de « secouer » la langue et de traduire en arabe les auteurs et les ouvrages qui le méritent. Longtemps après sa dissolution, l'influence du Cénacle reste considérable.

1923. Parution du *Prophète*.

1926. Parution du *Sable et L'Écume*.

1928. Publication de *Jésus, fils de l'homme*, suivi des *Dieux de la Terre*, de *L'Errant* et du *Jardin du prophète*.

1931. Mort de Khalil Gibran.

Repères bibliographiques

ŒUVRES DE KHALIL GIBRAN
- *L'Errant,* Mille et une nuits, 1999.
- *Le Fou,* Mille et une nuits, 1996.
- *Le Jardin du prophète,* Mille et une nuits, 2000.
- *Iram aux colonnes,* suivi d'un texte de Jad Hatem,
  Études sur la mystique de Gibran, Cariscript, 1988.
- *Jésus, fils de l'homme,* Albin Michel, 1990.
- *Le Livre des Processions,* Mille et une nuits, 2000.
- *Merveilles et Processions,* Albin Michel, 1990.
- *Le Précurseur,* Mille et une nuits, 2000.
- *Le Sable et l'Écume, Livre d'aphorismes,* Albin Michel, 1990.
- *Les Trésors de la sagesse,* Mortagne, 1986.
- *La Voix ailée. Lettres à May Ziyada,* Sindbad,
  La Bibliothèque arabe, 1982.
- *La Voix de l'éternelle sagesse,* J'ai lu, coll. Aventure secrète, 1997.

ÉTUDES SUR KHALIL GIBRAN
- DAHDAH (Jean-Pierre), *Khalil Gibran : une biographie,* Albin Michel,
  1994. Sous la direction de, « Khalil Gibran : poète de sagesse »,
  Question de, n° 82, 1991.
- KHARRAT (Souad), *Gibran le prophète, Nietzsche le visionnaire :*
  du Prophète et d'Ainsi parlait Zarathoustra, Triptyque, 1993.

Mille et une nuits propose des chefs-d'œuvre pour le temps d'une attente, d'un voyage, d'une insomnie…

Pour chaque titre, le texte intégral, une postface, la vie de l'auteur et une bibliographie.

49.4163.05.9
Achevé d'imprimer en janvier 2001,
sur papier Ensoclassique par G. Canale & C. SpA (Turin, Italie).